Chester

Chers admirateurs et admiratrices,

Étant donné la quantité impressionnante de lettres reçues de mes nombreux fans, je suis de retour, meilleur que jamais, avec un deuxième livre brillant, intelligent et fabuleux!

C.

Mélanie ~~Watt~~
Chester

À : Chester
De : Léonard de Vinci
(ton admirateur)

CHESTER
: PICASSO
(ton idole)

hester
EINSTEIN
(ton plus grand fan)

Chers lecteurs et lectrices,

Je vous prie d'excuser Chester.
Il a oublié de mentionner qu'il
a écrit toutes ces lettres lui-même.

D1361288

Pour ma sœur

Valérie... qui est beaucoup plus gentille que moi. Mais surtout pour Chester, la vedette de ce livre. Je le remercie de s'être libéré, malgré son horaire chargé, pour participer à ce livre.

Je suis désormais à son service!

Catalogage avant publication de Bibliothèque et Archives Canada

Watt, Mélanie, 1975-

[Chester's back!. Français]

Chester : Le retour! / écrit et illustré par Mélanie Watt.

Traduction de : Chester's back!.

Niveau d'intérêt selon l'âge : Pour enfants de 4 à 8 ans.

ISBN 978-0-545-99147-6

I. Titre. II. Titre: Retour.

PS8645.A884C4514 2008   jC813'.6   C2008-900694-1

Édition publiée par les Éditions Scholastic, 604, rue King Ouest, Toronto (Ontario) M5V 1E1, avec la permission de Kids Can Press Ltd.

7 6 5 4 3   Imprimé à Singapour CP130   10 11 12 13 14

Les illustrations ont été réalisées au crayon et à l'aquarelle et ont été électroniquement agencées. Pour le texte, on a utilisé la police de caractères Carnation and Kidprint.
La photo de l'auteure : Tiness

Conception graphique : Mélanie Watt

Chester Le retour!

le héros de

Écrit et illustré par Mélanie Watt

Dans un pays lointain, il y a
très longtemps, vivait un chat
nommé Chester.

J'ai DIT...

Dans un pays lointain, il y a très longtemps, vivait un chat nommé Chester.

PAS PRÊT!

Dans un pays lointain,
il y a très longtemps...
Chester, pas SI longtemps!

ENNUYANT!

MOI, CHAT DES CAVERNES!
Ouga Chaga Ouga Chaga!

Il y a très, très, très, très, très, très, très longtemps, dans une caverne lointaine, vivait Chester.

Il était célèbre! Il avait inventé la ROUE!

L'invention
de CHESTER

Mais le chat des cavernes a dû s'absenter lorsqu'il a été menacé d'extinction.

Réessayons encore une fois.

Dans un pays lointain, il y a très longtemps, vivait... un dinosaure PUANT à qui je conseille de se brosser les dents!

Chester! Sors de là!

Non, le dessin est BEAUCOUP plus joli vu d'ici!

CHESTER! Je ne suis plus capable!

Voici Mélanie,
la femme
à barbe!

KABOUM!!!!!

AUDITIONS
À LA
PAGE SUIVANTE!

Mélanie Watt cherche un remplaçant
pour jouer le rôle de CHESTER

Numéro 1,
prenez place dans
l'histoire SVP!

Pfffff!
Gang de copieurs!

AUDITIONS

?

Faites la queue ici

Dans un pays lointain, il y a très longtemps, vivait un chat nommé Chester.

Juste une petite minute!

Chester, éloigne-toi du nouveau Chester!

Chester, je n'en peux plus!
QU'EST-CE QUE TU VEUX???

ENFIN ON M'ÉCOUTE!
JE veux une histoire qui se passe dans une LONGUE limousine

JE veux voir des affiches GÉANTES de moi partout dans la ville!

Il est incroyable!

ET, car je suis la vedette, j'exige des bonbons jujubes, mais seulement les rouges. ET... ah oui, mon nom écrit en lumières! ET lorsque j'arriverai sur le tapis rouge, je veux que tous les gens voient que je suis une grande STAR!!!

C'est tout?

Mmm... et une cloche à sonner pour que Souris soit à mon service lorsque j'ai besoin de quelque chose.

Parfait Chester.

Appelez-moi MONSIEUR Chester.

Oui MONSIEUR...
Comme vous voulez!

Il n'y a pas longtemps, dans une ville quelconque, M. Chester, une vedette extrêmement célèbre, faisait son apparition dans une longue longue longue limousine remplie de jujubes rouges.

Tout le monde avait hâte de voir...

la GRANDE STAR!

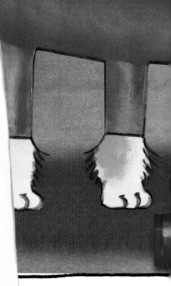

LE JOURNAL MONDIAL

M. CHESTER FAIT TOURNER LES TÊTES VÊTU D'UN DRÔLE DE COSTUME D'ÉTOILE!

À QUOI
PENSAIT-IL?

Ce n'est pas ce que je voulais dire!

RECHERCHÉ

Célèbre chat cherche auteur-illustrateur talentueux pour remplacer Mélanie Watt pour prochain livre pour enfants!!!

RÉCOMPENSE
500 MILLIONS DE JUJUBES ROUGES